BABY BUILDERS

Bebés constructores

by **Elissa Haden Guest**

illustrated by **Hiroe Nakata**

traducido por **Yanitzia Canetti**

Ilustrado por **Hiroe Nakata**

Dial Books for Young Readers

To my grandson Dashiell, with love.
–E.H.G.

A mi nieto Dashiell, con amor.
E.H.G.

For K.Y.
–H.N.

A K.Y.
H.N.

Dial Books for Young Readers
An imprint of Penguin Random House LLC, New York

Text copyright © 2020 Elissa Haden Guest
Illustrations copyright © 2020 Hiroe Nakata

Visit us online at penguinrandomhouse.com

ISBN 9780525552703
Special Markets ISBN 9780593354698 Not for Resale
Manufactured in China by RR Donnelley Asia Printing Solutions Ltd.

10 9 8 7 6 5 4 3 2

Design by Mina Chung • Text set in Grota Sans Rounded
This art was created with watercolors and ink.

Baby builders
bounce and sway,
ride the bus to
work today.

Los bebés constructores,
dando brincos de alegría,
viajan en autobús
a trabajar este día.

Babies hurry.
Grab a bun.
Breakfast's always
on the run.

Los bebés se apresuran.
Agarran un pan.
Toman su desayuno
y rápido se van.

Baby hard hats
come in handy.

Los cascos para bebés,
¡qué útiles son!

Safety glasses
look just dandy.

Las gafas de seguridad,
¡llaman la atención!

Neon vests.
Ear plugs too.

Chalecos de neón,
tapones para oídos.

Lots of noisy
work to do!

¡Listos para trabajar
con muchísimo ruido!

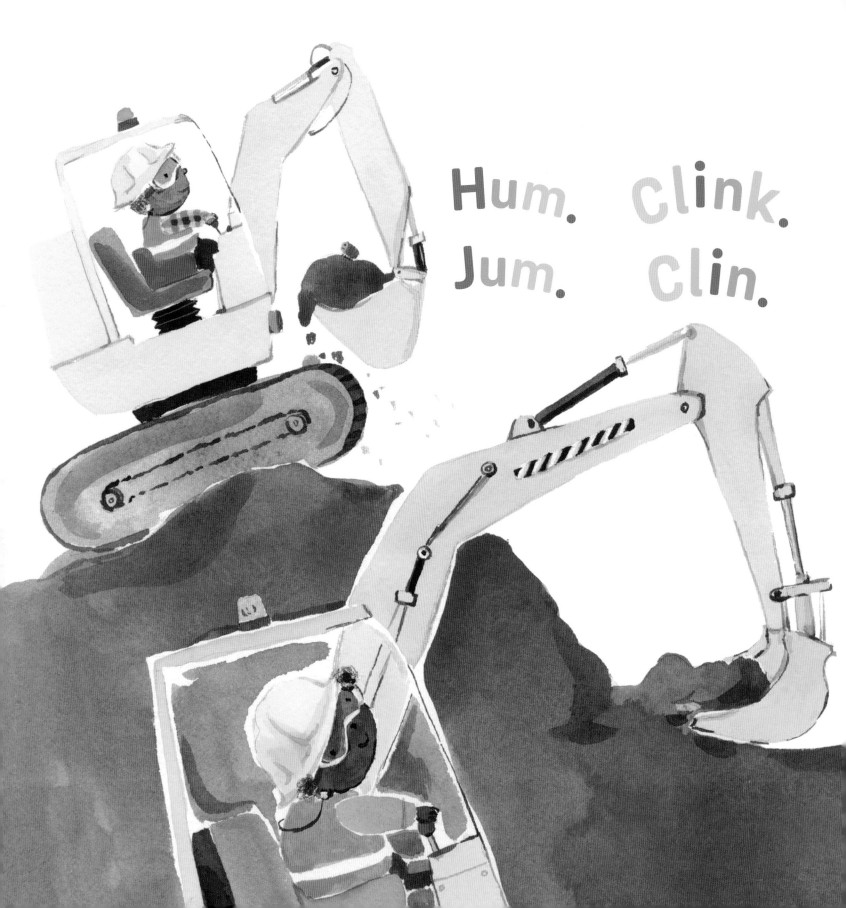

Hum. Clink.
Jum. Clin.

Clank.
Clan.

Excavators
strike the ground.
Shovel dirt,
piles abound.

Las excavadoras
excavan bastante.
Su pala amontona
pilas abundantes.

Babies sport tall
rubber boots.
Thick concrete
flows down chutes.

Botas altas de goma
calzan por precaución.
Por un tobogán baja
el espeso hormigón.

Babies bulldoze.
Switch that gear.
Beep, beep, baby,
watch your rear!

Los bebés arrasan.
Y avanzan más.
Pii-pii, bebé,
¡mira hacia atrás!

Forklift carries
heavy bricks.
Baby masons
know the tricks.

El montacargas carga
ladrillos muy pesados.
Los bebés albañiles
están bien entrenados.

Whistle blows.
Food truck's here!
Hungry babies
give a cheer.

El camión de la comida,
¡qué algarabía!
Los bebés hambrientos
dan saltos de alegría.

Wheee-oOo!
¡Yupiiii!

Babies balance
on a beam.
Take a break with
mint ice cream.

Encima de la viga
los bebés se balancean.
Se toman un descanso
y un helado saborean.

"Back to work!"
So much to do.
Babies paint
and plaster too.

"¡De vuelta al trabajo!".
Hay mucho que hacer.
Los bebés pintan
y enyesan también.

Towering crane
hoists the doors.
Babies hammer
wooden floors.

La grúa imponente
las puertas eleva.
Los bebés martillan
los pisos de madera.

"Done at last!"
builders shout.
"Take a look!
Check it out!"

Los constructores gritan:
—¡Terminamos ya!
¡Échale un vistazo!
¡Mira para acá!

Splish, Splash. Plaf, Plaf.

Tired builders
need a tub,
baby bubbles
and a scrub.

Los constructores cansados
la bañera necesitan,
burbujas para bebés
y una esponja suavecita.

**Dapper jammies,
busy day . . .**

**Tras un día ajetreado,
con sus lindos pijamas . . .**

Baby builders
dream away!

¡los bebés constructores
ya duermen en su cama!